TAD-CU YN MYND

TAD-CU
YN MYND AR DRAMP

Martin Morgan

Lluniau gan Glyn Rees

DREF WEN

Llyfrau eraill yn y gyfres:
Tad-cu a'i Gysgod
Tad-cu ar ei Wyliau
Tad-cu Ddwywaith

Mae Martin Morgan a Glyn Rees wedi datgan eu hawl
i gael eu cydnabod, y naill fel awdur a'r llall fel arlunydd y gwaith hwn,
yn unol â Deddf Hawlfraint, Dyluniadau a Phatentau 1988.

Cyhoeddwyd gan Wasg y Dref Wen,
28 Ffordd yr Eglwys,
Yr Eglwys Newydd, Caerdydd CF14 2EA
Ffôn 029 20617860

Argraffwyd ym Mhrydain.

Cyhoeddwyd gyda chymorth
ariannol Cyngor Llyfrau Cymru.

Yn hwyr ar un noson o haf, roedd Tad-cu yn eistedd yn ei gadair siglo wrth y tân ac yn darllen llyfr. Teitl y llyfr oedd *Anturiaethau Siencyn Trempyn*, ac roedd Tad-cu yn ei fwynhau cymaint fel na sylwodd ar yr amser yn mynd heibio. Roedd bys mawr ei hen gloc ar chwech a'r bys bach rhwng un a dau.

O'r diwedd, caeodd Tad-cu y llyfr yn glep.

Yr eiliad honno, roedd llygoden yn cerdded ar hyd y llawr gyda darn o gaws roedd hi wedi'i ddwyn o blât swper Tad-cu. Wrth glywed y sŵn, gadawodd y llygoden y caws i gwympo o'i cheg a gwibiodd yn ôl i'w thwll.

"Rwy am fod yn drempyn hefyd," meddai Tad-cu. "'fory, fe a i ar dramp."

Dringodd Tad-cu y staer i'w stafell wely. Ymhen fawr o dro roedd yn cysgu'n braf ac yn breuddwydio am fod yn drempyn.

Y bore wedyn, dihunodd Tad-cu a gweld yr haul yn tywynnu drwy'r ffenest. "Ffan-taba-lwga-bim-bam-bop!" gwaeddodd wrth neidio o'r gwely. Taflodd ei ddannedd dodi i'w geg, gwisgo'n sydyn a llamu i lawr y staer.

Nid oedd am wastraffu amser yn coginio brecwast nac yn gwneud dysglaid o de, felly llyncodd fowlennaid o bwdin reis oer a chwpanaid o ddŵr. Ac mewn lliain, lapiodd gannwyll, canhwyllbren a hanner dwsin o selsig wedi'u coginio. Clymodd y lliain wrth waelod ei ffon gerdded a rhoi honno dros ei ysgwydd, gyda'r bwndel yn hongian y tu ôl i'w gefn. "Rwy'n edrych fel trempyn nawr," meddai.

Ar ôl gadael y tŷ, cerddodd Tad-cu yn sionc ar hyd y palmant fel petai sbringiau yn ei sodlau. Sylwodd ar fan yn sefyll wrth siop groser. Roedd drysau ôl y fan ar agor a neidiodd Tad-cu i'r cefn gan guddio ymysg y bocsys a'r sachau.

Toc, camodd y gyrrwr o'r siop, cau drysau'r fan, a gyrru i ffwrdd.

Ymlaen aeth y fan nes gadael y dref a chyrraedd pentref. Safodd y fan wrth siop groser arall a chamodd y gyrrwr o'r cerbyd. Ond pan agorodd y drysau cefn, dyma fe'n neidio mewn syndod wrth i Tad-cu lamu mas

a dweud: "Diolch am y reid, was."

Gan adael y gyrrwr yn sefyll yn gegrwth fel petai'n dal clêr, cerddodd Tad-cu ar hyd y palmant nes cyrraedd Caffi Beti Treiffl. Safodd gan lyfu ei wefusau. Ond sylwodd ar arwydd ar y drws:

Dim cŵn na thramps

"Naw wfft i hwnna," meddai, a mynd i mewn.

Eisteddodd wrth ford, a rhoi ei ffon a'i fwndel ar gadair. Ar hyn, rhuthrodd Beti Treiffl ato. "Dwi ddim yn serfio tramps," rhuodd.

"Wel, dwi ddim yn bwyta tramps chwaith," meddai Tad-cu gan chwerthin.

Trodd wyneb Beti Treiffl yn borffor.
"Ry'ch chi'n gwybod beth dwi'n ei feddwl,"
taranodd. "Dim cŵn na thramps yn y caffi."

"Ond pam fod hen Rottweiler fel chi yma?"

Ar hyn, llusgodd Beti Treiffl Tad-cu o'i
gadair, agor y drws a'i wthio nerth ei braich.

Glaniodd Tad-cu yn glewt ar ei ben-ôl ar y
palmant.

Taflodd Beti Treiffl ei ffon a'i fwndel at ei
ben.

"Dyna fenyw gas," meddai Tad-cu gan rwbio'i ben. Ond wrth weld y geiriau 'DIM CŴN' fflachiodd syniad i'w feddwl, a dechreuodd fewian fel cath.

MIAW! MIAW!

Cyn pen chwinciad, daeth pob ci yn y pentref tuag ato gan gyfarth.

WFF! WFF! WFF!

Cododd Tad-cu ar ei draed ac agor drws y caffi. "Mae'r gath tu mewn," meddai wrth y cŵn. A rhuthrodd yr holl gŵn i'r caffi.

WFF! WFF! WFF!

AAA! sgrechiodd Beti Treiffl wrth i'r ymwelwyr ddymchwel y bordydd a'r cadeiriau.

Toc, daeth y cŵn yn eu hôl gan gludo cylffiau o fara brith, teisennau hufen, picau ar y maen, bisgedi a brechdanau cyw iâr a chig moch. Rhoddodd y cŵn eu danteithion ar y palmant a dechrau eu bwyta.

Eisteddai Beti Treiffl ar lawr y caffi yn sgrechian a chicio ei choesau. Ac yntau'n chwerthin, rhoddodd Tad-cu ei ffon a'i fwndel dros ei ysgwydd a mynd yn ei flaen dan chwibanu.

Cyn bo hir, daeth at lôn. "Cefn gwlad o'r diwedd," meddai, cyn dechrau canu: "Rwy'n hoffi bod yn drempyn, la, la, la, la." Yn y man, clywodd sŵn sïo y tu ôl iddo. Yr eiliad nesaf, cafodd ei daflu i'r berth.

AAA! gwaeddodd.

Yna, gwibiodd beic heibio iddo â dyn ar ei gefn yn gwisgo crys oren llachar. "Cerwch o 'ma'r hen drempyn twp!" gwaeddodd y dyn.

"Y pedliwr pengam!" gwaeddodd Tad-cu. Ond chwarddodd y beiciwr a phedlo yn ei

flaen nes iddo ddiflannu o'r golwg. "Twpsyn oren," meddai Tad-cu a chodi ar ei draed mewn poen, rhoi ei ffon dros ei ysgwydd a hercian yn ei flaen.

Toc, sylwodd Tad-cu ar rywun â'i gefn tuag ato ac yn plygu drosodd. Roedd y person yn tynnu olwyn oddi ar feic ac roedd yn gwisgo crys oren llachar. "Dyna'r twpsyn oren a wthiodd fi i'r berth," sibrydodd Tad-cu. "Mae e wedi cael damwain." Tynnodd Tad-cu ysgallen o ochr y lôn, sleifio ar flaen ei draed at y beiciwr, a gwthio'r ysgallen i'w ben-ôl. **AAAWWW!** sgrechiodd hwnnw a llamu ymlaen nes i'w ben fynd drwy ffrâm yr olwyn. Gyda'r olwyn am ei war fel coler enfawr, neidiodd y dyn gan weiddi:

AWWW!

Curodd Tad-cu ei ddwylo cyn dweud wrtho: "Ar fy myw – oren yn dawnsio!"

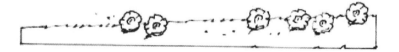

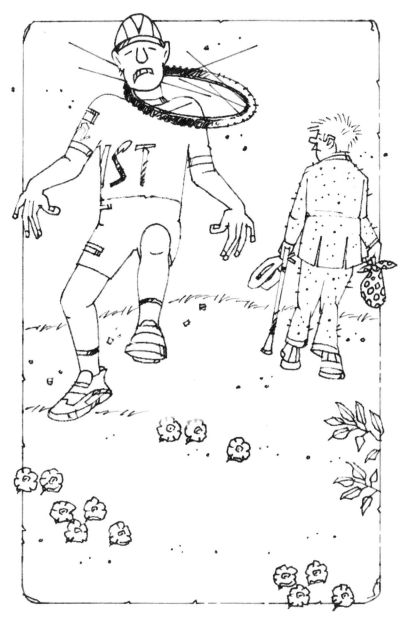

Aeth Tad-cu yn ei flaen nes cyrraedd gât fferm. Sylwodd ar rywun yn sefyll yn y cae â'i freichiau ar led a dillad carpiog amdano. "Mae golwg fel trempyn ar y dyn acw," meddai Tad-cu. "Bore da, was," gwaeddodd arno. Ond daeth dim ateb. Felly, brasgamodd Tad-cu ato a gwthio'i ysgwydd gan weiddi: "Hei! Beth sy'n bod arnoch chi?" Ar hyn, trodd y ffurf a tharo wyneb Tad-cu â'i law.

"Yr hen fwbach!" llefodd Tad-cu, a rhoi bonclust i'r ffurf gan fwrw ei ben erfinen i'r ddaear.

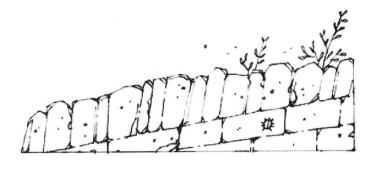

Safodd Tad-cu yn gegrwth cyn clywed rhywun yn rhuo yn y pellter: "Yr hen walch! Gadewch lonydd i 'mwgan brain i."

Trodd Tad-cu a gweld ffermwr yn chwifio gwn yn yr awyr. Heb oedi, cododd Tad-cu y ffon a'r bwndel, rhedeg fel milgi ar draws y cae, a llamu dros y gât fel pencampwr Olympaidd.

Rhedodd Tad-cu ar hyd y lôn nes ddod at gât fferm arall. "Rwy bron â llwgu," meddai. "Ga' i rywbeth i'w fwyta yn y cae yma." Felly, dringodd dros y gât heb weld arwydd gerllaw ac arno'r geiriau:

RHYBUDD
TARW FFYRNIG

21

Eisteddodd ar y glaswellt a datod y lliain heb sylwi ar rywbeth mawr du yn sleifio tuag ato.

Cymerodd Tad-cu un o'r selsig o'r bwndel, ond dyma gleren yn glanio ar y sosej. "Cer o 'ma!" gwaeddodd a chwifio'i law, ond yn lle taro'r gleren dyma fe'n taro rhywbeth ar ei drwyn a oedd filwaith yn fwy.

Trodd Tad-cu i weld dau lygad mawr coch yn rhythu arno.

 gwaeddodd Tad-cu. "Tarw!" Ie, roedd Tad-cu wedi taro tarw. Mewn chwinciad, llamodd Tad-cu ar ei draed a dechrau rhedeg ar draws y cae gyda'r tarw yn ei ddilyn nerth ei draed. Roedd carnau'r tarw

yn curo'r ddaear yn galed.

Plygodd y tarw ei ben i daflu Tad-cu i'r awyr. Ond cyn i'r tarw ei gyffwrdd, dringodd Tad-cu fel mwnci i ben coeden. Eisteddodd ar gangen gan chwysu fel mochyn a thynnu ei dafod fel ci a'i wynt yn ei bawen.

Wrth glywed sŵn a gweld y goeden yn siglo, edrychodd Tad-cu i lawr. Gwelodd y tarw yn bwrw ei ben yn erbyn y goeden. "Mawredd mawr!" gwaeddodd Tad-cu, a gafael yn dynn yn y gangen. Ceisiodd y tarw dynnu ei gyrn yn rhydd o fôn y goeden islaw.

Ffroenodd yr anifail yn ffyrnig a siglo'i ben yn wyllt nes i'r goeden siglo'n wyllt hefyd. Cwympodd aderyn a nyth ohoni. Glaniodd y nyth wyneb i waered ar ben y tarw gan wneud i hwnnw edrych fel petai'n gwisgo het fach dwt.

Chwifiodd yr aderyn ei adenydd a sgrechian cyn pigo pen-ôl y tarw.

 rhuodd hwnnw a neidio cymaint nes iddo rwygo'r goeden o'r ddaear. Yna, dechreuodd y tarw redeg o gwmpas y cae gyda'r goeden yn sownd wrth ei gyrn a Tad-cu yn hongian o'r goeden gan weiddi: "Rwy'n mynd i chwydu."

O glywed yr holl stŵr, rhuthrodd y ffermwr, Nedi Medi, o'r ffermdy. Wrth i'r anifail garlamu heibio i Nedi, dyma hwnnw'n estyn ei law a gafael yng nghwt y tarw er mwyn ei atal. Ond wrth wneud hyn, cafodd y ffermwr ei dyrnu i'r llawr a'i lusgo drwy'r llaid ar y buarth.

Gollyngodd Nedi ei afael, a charlamodd y tarw trwy ddrws y ffermdy gan ei chwalu'n rhacs. Ymlaen ag e lan y staer nes cyrraedd yr

ystafell wely lle roedd y ffermwraig, Meleri Medi, yn tacluso dillad y gwely.

 sgrechiodd honno a neidio drwy'r ffenest.

Diflannodd y rhan fwyaf o'r goeden lan y simnai, a safodd yr anifail yn ei unfan. Gyda'i ben yn y grât, dechreuodd anadlu lludw a gwnaeth hyn iddo disian yn uchel,

AAATISSSHHHWWW!

Ar hynny, dyma gymylau o barddu a lludw yn tonni drwy'r ystafell wely fel petai bom wedi ffrwydro ynddi.

Roedd Tad-cu uwchben y corn simnai ac yn dal i eistedd ar y gangen. Erbyn hyn, ar ôl iddo gael ei wthio lan y simnai, roedd yn hollol ddu. Neidiodd oddi ar y goeden a rhedeg ar draws to'r ffermdy. Wrth fynd, ymestynnodd ei freichiau fel adenydd rhag ofn iddo lithro oddi ar y to. Ond cyn iddo fynd gam ymhellach, gwibiodd rhaw heibio i'w ben.

Oddi tano, gwelodd e Nedi yn sefyll ar y buarth yn diferu o laid ac yn siglo'i ddwrn arno. "Dewch i lawr fan hyn, yr hen fwbach!" gwaeddodd y ffermwr, a thaflu'r rhaw yn uchel i'r awyr.

Saethodd blaen honno i fewn i lawes siaced Tad-cu, ar draws ei ysgwyddau ac i mewn i'w lawes arall. Gyda'r rhaw yn sownd yn ei siaced, ni allai Tad-cu symud ei freichiau.

Ond dyma fe'n baglu ac yn llithro i lawr y to fel sgïwr. "Ble mae'r eira?" gwaeddodd, cyn saethu oddi ar do'r ffermdy a glanio ar rywbeth meddal.

BAAA! brefodd y creadur. Hwrdd oedd e, a dechreuodd yr anifail redeg o amgylch y fferm gyda Tad-cu yn eistedd ar ei gefn yn gweiddi: "Ble mae'r brêc?"

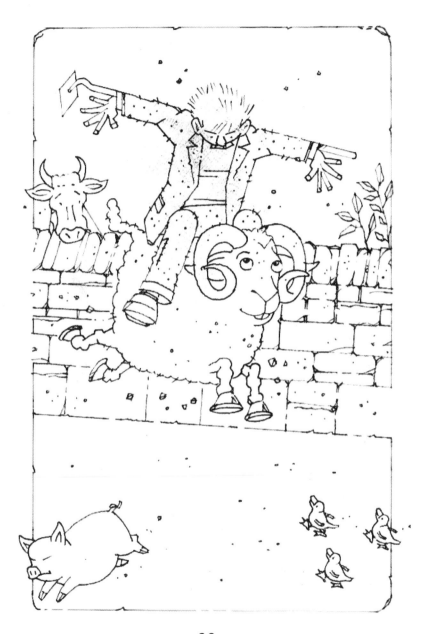

Rhedodd Nedi ar ei ôl cyn iddo lithro a glanio mewn cafn moch.

Toc, safodd yr hwrdd yn ei unfan. Ond ni safodd Tad-cu. Saethodd hwnnw dros y berth a glanio ar ei wyneb yn un o gaeau'r fferm drws nesaf.

Cerddai'r ffermwr gerllaw, sef Trefor Trol, yn chwilio am dyllau cwningod. Ac wrth iddo weld ffurf ddu siâp person â'i freichiau ar led yn gorwedd yn llonydd yn ei gae, meddai: "Bwgan brain. Jest y peth ar ôl i'r hen drempyn chwalu'r un oedd 'da fi." A dyma fe'n codi Tad-cu, ei roi dros ei ysgwydd a chamu ymaith i'w roi yng nghanol ei gae ŷd.

Ond cyn mynd ymhell, clywodd waedd uchel y tu ôl iddo. Ar ôl iddo droi rownd, gwelodd e Nedi Medi yn fwyd moch o'i gorun i'w sawdl ac yn cario gwn. "Nid bwgan brain yw hwnna," gwaeddodd.

Edrychodd Trefor Trol ar wyneb du Tad-cu

a gweld hwnnw'n blincio'i lygaid. "Yr hen drempyn!" gwaeddodd arno. Yna, taniodd Nedi Medi ei wn.

Ond yn lle saethu Tad-cu, cafodd Trefor Trol ei saethu yn ei ben-ôl.

sgrechiodd hwnnw gan daflu Tad-cu i'r awyr cyn rhedeg i gyfeiriad y saethwr.

Glaniodd Tad-cu ar ei draed a ffoi. Wrth redeg ar draws y cae â'i freichiau ar led, roedd Tad-cu yn debyg iawn i awyren yn ceisio codi o'r llawr. "Rhaid i fi gael gwared ar y rhaw 'ma," meddai. Felly, dyma fe'n neidio tin-dros-ben i'r awyr gan droi fel olwyn. Cwympodd y rhaw o'i siaced, a rhedodd Tad-cu yn ei flaen nes iddo adael y fferm a chyrraedd nant.

Wrth edrych i'r nant, gwelodd adlewyrchiad o'i wyneb du yn y dŵr. "Helô, Swti," meddai, a golchi'r parddu oddi arno. Wedi iddo wneud

hyn, gorweddodd ar lan y nant a chysgu drwy'r prynhawn nes i'r haul fachlud.

Pan ddihunodd Tad-cu, edrychodd o'i gwmpas a gweld y wlad yn tywyllu a'r awel yn oeri. "Rhaid i fi gael rhywle i glwydo dros nos," meddai. "Ble mae 'mwndel i?" Felly, cododd a mynd i nôl ei fwndel o'r cae lle cafodd ei erlid yn gynharach gan y tarw ffyrnig.

"Gwnaiff y sgubor acw y tro," meddai a chamu tuag ati. Ond i'w chyrraedd, bu'n rhaid iddo fynd heibio i'r ffermdy. Roedd y tarw wedi dymchwel y simnai a llawr uchaf y tŷ i gyd, ar wahân i'r tŷ bach. Ac roedd yr anifail yn dal i redeg o gwmpas y caeau yn ceisio cael gwared ar y goeden oedd yn sownd i'w gyrn. Roedd Meleri Medi yn rhedeg ar ôl ei gŵr ac yn ei fwrw â phadell ffrio.

Sleifiodd Tad-cu heibio i'r ffermdy, a mynd i'r sgubor. "Jiw, mae hi'n dywyll fan hyn," meddai. Felly, taniodd fatsien i gynnau'r gannwyll. Ond wrth iddo baratoi lle i orwedd arno yn y das wair dyma fe'n dod wyneb yn wyneb â dau lygad disglair a thrwyn pigog gyda blew arno. "Llygoden!" gwaeddodd Tad-cu gan fwrw ei gannwyll i'r awyr. A dyma honno'n glanio yn y das wair. Ymhen chwinciad, roedd fflamau yn llamu i'r awyr. "Tân!" gwaeddodd Tad-cu gan chwifio'i freichiau i'w ddiffodd. Ond ymledodd y fflamau nes bod yr holl wair a'r sgubor ar dân. Cydiodd Tad-cu yn ei ffon a'i fwndel a dianc o'r lle.

43

Roedd yr holl anifeiliaid ar y fferm yn cadw sŵn: y defaid yn brefu, y moch yn gwichian, y ceffyl yn gweryru, a'r cŵn yn cyfarth. O weld y fflamau coch, canodd y ceiliog

gan feddwl bod y wawr wedi torri.

Tasgodd gwreichion o'r tân a glanio ar ben y ceffyl gan wneud i hwnnw gicio a chwalu ffens.

Pan sylwodd Tad-cu fod y ceffyl yn rhydd, rhoddodd ei fysedd yn ei geg a chwibanu'n uchel

CHWIIIIT!

"Tacsi!" gwaeddodd. Ar hynny, rhedodd y

ceffyl ato a dyma Tad-cu'n neidio ar ei gefn. "Adre, Dobyn. Mae hi'n rhy dwym yn fan hyn." Gweryrodd y ceffyl a charlamu nerth ei garnau ar hyd y buarth, neidio dros y berth a mynd fel y gwynt ar hyd y lonydd.

Ymlaen ac ymlaen aeth y ceffyl a Tad-cu; drwy'r pentrefi a'r trefi nes cyrraedd cartref Tad-cu. "Dyma ni fel dominos," meddai Tad-cu. Safodd y ceffyl, neidiodd Tad-cu oddi ar ei gefn ac arwain yr anifail i'w iard gefn. "Bydd digon o le i ti yma, Dobyn," meddai.

Aeth Tad-cu i'w dŷ, a daeth yn ei ôl yn cario bwcedaid o geirch. Dechreuodd y ceffyl fwyta'n awchus.

"Rwy'n mynd i gael rhywbeth i'w fwyta hefyd," meddai Tad-cu. "Nos da, Dobyn. Diolch am y reid."

Eisteddodd Tad-cu yn ei gadair siglo, datod y lliain a dechrau bwyta'r selsig.

Ar ôl iddo orffen ei fwyd, dylyfodd Tad-cu ên. "Rwy wedi blino'n lân," meddai. Felly, cododd a mynd lan y staer. "Rwy wedi cael tipyn o sbort heddiw wrth fod yn drempyn," meddai.

Pan gyrhaeddodd ei ystafell wely, dadwisgodd a rhoi ei byjamas amdano. Yna, rhoddodd ei ddannedd dodi yn y gwydr cyn dringo i'r gwely. Nid oedd Tad-cu fawr o dro cyn syrthio i gysgu. Ac yn ei gwsg, dyma fe'n gwenu nawr ac yn y man wrth freuddwydio am ei ddiwrnod ar dramp.